图书在版编目（CIP）数据

刘兴诗爷爷讲星空. 冬 / 刘兴诗文 ; 一叶一画绘
. -- 北京 ：中国致公出版社，2020
　　ISBN 978-7-5145-1547-3

　　Ⅰ．①刘… Ⅱ．①刘… ②一… Ⅲ．①天文学－儿童
读物 Ⅳ．①P1-49

中国版本图书馆CIP数据核字(2019)第236448号

刘兴诗爷爷讲星空. 冬 / 刘兴诗文 ; 一叶一画绘.

出　　版	中国致公出版社	
	（北京市朝阳区八里庄西里100号住邦2000大厦1号楼西区21层）	
出　　品	湖北知音动漫有限公司	
	（武汉市东湖路179号）	
发　　行	中国致公出版社（010-66121708）	
图书策划	李　潇　周寅庆　李　爽	
责任编辑	胡梦怡	
装帧设计	李艺菲	
印　　刷	武汉市金港彩印有限公司	
版　　次	2020年7月第1版	
印　　次	2020年7月第1次印刷	
开　　本	787mm×1092mm　1/12	
印　　张	4	
字　　数	60千字	
书　　号	ISBN 978-7-5145-1547-3	
定　　价	45.00元	

刘兴诗爷爷讲

星空

刘兴诗 文
一叶一画 绘

冬

中国致公出版社

仰望星空

刘兴诗

　　星空，多么神秘、多么遥远。一颗颗亮晶晶的星星，好像远方的精灵，一闪一烁，诱引着孩子们的心。世界上没有一个孩子不喜欢天上的星星，不想知道星星的秘密。

　　奶奶讲的牛郎织女的故事是真的吗？银河是不是一条河，里面有水吗？古诗和民间传说里提到的许多星空神话，到底是怎么一回事？

　　一个个星空的问题，把孩子们的心儿搔得痒痒的，得好好给他们讲一下星空的知识才好。

　　请记住，这是孩子们的需要，也是一个崭新时代的要求。我们正面临的，是一个大宇宙的时代。需要许许多多未来的哥伦布，去认识和发现宇宙空间的新大陆。不言而喻，在这样的时代来临时，天文学的基本知识多么重要。

　　学习天文学从哪里起步？先从咱们头顶的星空开始吧。

　　满天星斗密密麻麻的，怎么认识清楚呢？有办法！我们的老祖宗早就把天上的恒星划分为三垣、四象、二十八宿，这样就容易认识了。三垣就是北方天空中的紫微垣、太微垣和天市垣。四象、二十八宿是这么划分的：

　　东方苍龙包括角、亢、氐、房、心、尾、箕，七个宿。

　　南方朱雀包括井、鬼、柳、星、张、翼、轸，七个宿。

西方白虎包括奎、娄、胃、昴、毕、觜、参，七个宿。

北方玄武包括斗、牛、女、虚、危、室、壁，七个宿。

西方的观星方法则是划分许许多多的星座。其中北天拱极星座 5 个，北天星座 19 个，黄道星座 12 个，赤道带星座 10 个，南天星座 42 个。每一个星座都有自己的故事。

听说过斗转星移这句话吗？尽管天上的恒星位置没有变化，可是由于我们的地球在咕噜噜转动，随着时间变化，看见的天上的星星不一样。

我们在这儿介绍的每月星空，一般是每个月开始的 1 日晚上 9 点，15 日晚上 8 点，30 日傍晚 7 点钟左右，出现在头顶的星空图景。

手里拿着一张星图，怎么看？请你按照上面所说的规定时间，把星图倒拿在头顶，图上的方向和真实的方向一个样。这时候，就可以用星图对比天上的星星，一个个找出来了。如果早一个小时，就把头顶倒拿的星图，顺时针方向移动 15 度就成啦。如果晚一个小时，就把星图逆时针方向移动 15 度。

书中的四季是怎么划分的呀？本书中的四季是以我国传统的二十四节气为标准划分，立春、立夏、立秋、立冬分别为四季之首。

但你会疑惑，2 月立春了，可是为什么有的地方还在下雪呀？8 月秋天来了，为什么有的地方还这么热呢？这是由于我国地域太辽阔了，各地气候不一，按照"四立"划分的四季与实际气候并不完全符合的缘故。

书中还有许多许多秘密，请你翻开这四本书，一页页看下去吧。

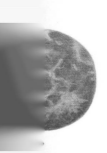

目录
contents

扫码免费得 8 节星空小课！

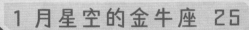

11月星空的飞马座

飞马座,也叫天马座,北天星座之一,面积1121平方度,是全天88星座中第7大星座。飞马座的星图,最显著的特点就是它的 α、β、γ 三颗星和仙女座的 α 星近乎构成了一个正方形,它们被称为"秋季四边形"。

11 月的天空，显现出一个由四颗星星组成的大方格子，线条和角度排列得非常整齐，像是用尺子画出来的，好像一个挂在天上的窗子。

浪漫的古希腊人说，这不是一个窗户，是一匹飞翔的骏马。

这就是初冬星空中最显眼的飞马座。那四四方方的正方形正是它的身躯，正方形的四条边代表着东西南北四个方向，是最好的方向标。

飞马座里大探秘

观星小指南

初冬，飞马座的四方格在夜空中显得如此特殊，它也是这匹天马最重要的身躯。除此之外，这个星座还有一颗最亮的星星，那是飞马的马鼻子，还有很多令人向往的星云。

飞马的身躯

飞马座的四边形就是这匹骏马的身躯。四个角上的星星分别是室宿一、室宿二、壁宿一、壁宿二，其中壁宿二，也是仙女座的 α 星。

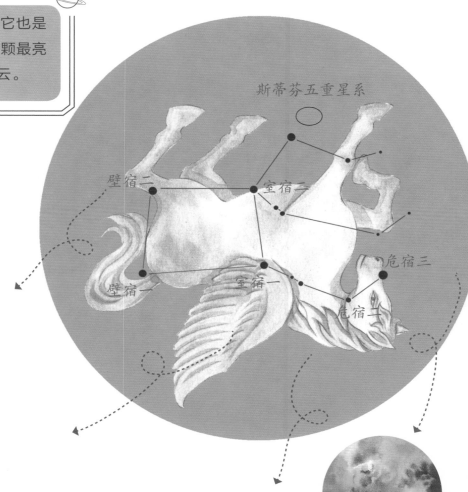

斯蒂芬五重星系

壁宿二　室宿二

壁宿一　室宿一　危宿三

危宿二

壁宿二

室宿二

壁宿一

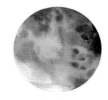

室宿一

危宿三

危宿二

飞马的脑袋

下面让我们来看看马头。飞马座的马脑袋由两颗星星组成，它们分别是危宿二和危宿三。危宿三是飞马座里最亮的星星，它是一颗橙色巨星。

飞马座的四边形方框附近看似一片空荡荡的，什么也没有，像是挂在星空里的一个空窗子。但是，如果从天文望远镜里看，那里面有一个星云团，包含上百个星云。而每个星云里，都有成百上千个星系。而方框附近最有名的星系，就是斯蒂芬五重星系。

斯蒂芬五重星系

斯蒂芬五重星系的命名，是为了纪念天文学家爱德华·斯蒂芬，他于1877年在法国进行观测时首先发现了这一星系群。这个星系群是由五个星系组成的，科学家发现其中的两个星系之间正在发生剧烈的撞击，数百万年来发出明亮的光芒。

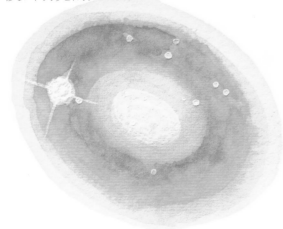

宇宙中的星星一直吸引着我们的目光。宇宙从来不是风平浪静的，岩石和尘埃是宇宙的构成物，它们在太空里撞击、毁灭、新生……这样的过程一直在重复。我们赖以生存的地球是幸运的，在这颗蓝色星球上，神奇地孕育出了生命。

古代天空的飞马座

飞马座里组成四边形的四颗星星，在中国的星宿中属于北方玄武七宿中的室宿和壁宿，在古代合称为营室。营就是建造，室就是房子，这个四四方方的格子像是一幢结结实实的房子。

北方玄武

壁宿在古代又被称为"东壁"，古人说东壁在古代帝王宫殿中，是用来藏书的地方。这条边向南延伸，便到达黄道上的春分点附近。

室宿则被称为"西壁"，向南延伸约3倍，会碰到秋季南面夜空中的亮星——北落师门；向北延伸，会碰到北极星。

飞马座与节气

11 月，正值孟冬时节，是指每年冬天的第一个月。孟冬包括太阳运行到黄经 225 度和黄经 240 度时的立冬、小雪两个节气。

立冬，是冬季的开始，一年的田间劳动将结束。有些地方的水已结冰，林间的大鸟都已经不见了。

小雪，苏轼诗云："荷尽已无擎雨盖，菊残犹有傲霜枝。"意思是荷花池只剩下枯枝败叶，菊花也已经凋零，大自然一片初冬景象。

古时候，人们的生活总是和节气相关。秋收过后，人们抬头看天上的星星，有一个四四方方的星象，就知道到了盖房子的时候了。这时已是农闲时节，人们终于有时间好好安排自己的生活了。

美杜莎之死

希腊神话里有这样一个故事，传说有一个邪恶的蛇发女妖，叫美杜莎。她头长毒蛇，无论是谁看一眼她的眼睛，都会立马变成石头。为了不让她为害人间，大英雄珀耳修斯奉命去杀死她。他带上盾牌和宝刀，去往美杜莎的栖身之地，那是黑暗与海洋交界的地方。珀耳修斯偷偷潜入美杜莎居住的岛屿，美杜莎正在沉睡之中。为了避免美杜莎突然醒来与他对视，他用盾牌的反光映照着美杜莎，找准了目标之后，用宝刀砍下了她的头颅。

美杜莎脖子上流出的血突然冒出烟雾来。只见一匹有翅膀的飞马飞了出来，带着英雄珀耳修斯逃离了这片岛屿。天帝宙斯为嘉奖飞马将它提升到天界，成了飞马座。

星星小知识

天上的星星有多少？

我们总是会问这样一个问题：天上有多少颗星星呢？

以前，人们总认为天上的星星数不清，但是天文学家发现，其实我们肉眼可见的星星是有限的。

天文学家把肉眼能看得见的星星，按照亮度分成好几个等级。肉眼刚好看得见的为 6 等星，星星越亮，数值越小，更亮的等级为 0 等以至负等的星等。例如，太阳是 −26.7 等，满月的亮度是 −13 等，金星最亮时可达 −4.9 等。

经过科学家们的观察，天空中亮度在 6 等以上的星星，也就是肉眼可以看到的有六千多颗。当然，同一时刻我们只能看到半个天球上的星星，即三千多颗。

星星不光数量是有限的，寿命也是有限的，前面我们知道了星星的诞生与消亡，不同的星星寿命也是不同的。寿命最短的只有几百万年，而像太阳的寿命大致为 100 亿年。目前，据天文学家估算，太阳大约已经 45.7 亿岁了，也就是说它还有 50 至 60 亿年的寿命。

　　总的来说，天上的星星不会永远这么多，宇宙中的星星在不断地消亡，也有新的星星诞生。还有的星星会做运动，跑着跑着离地球越来越远，我们的肉眼就看不到它了。

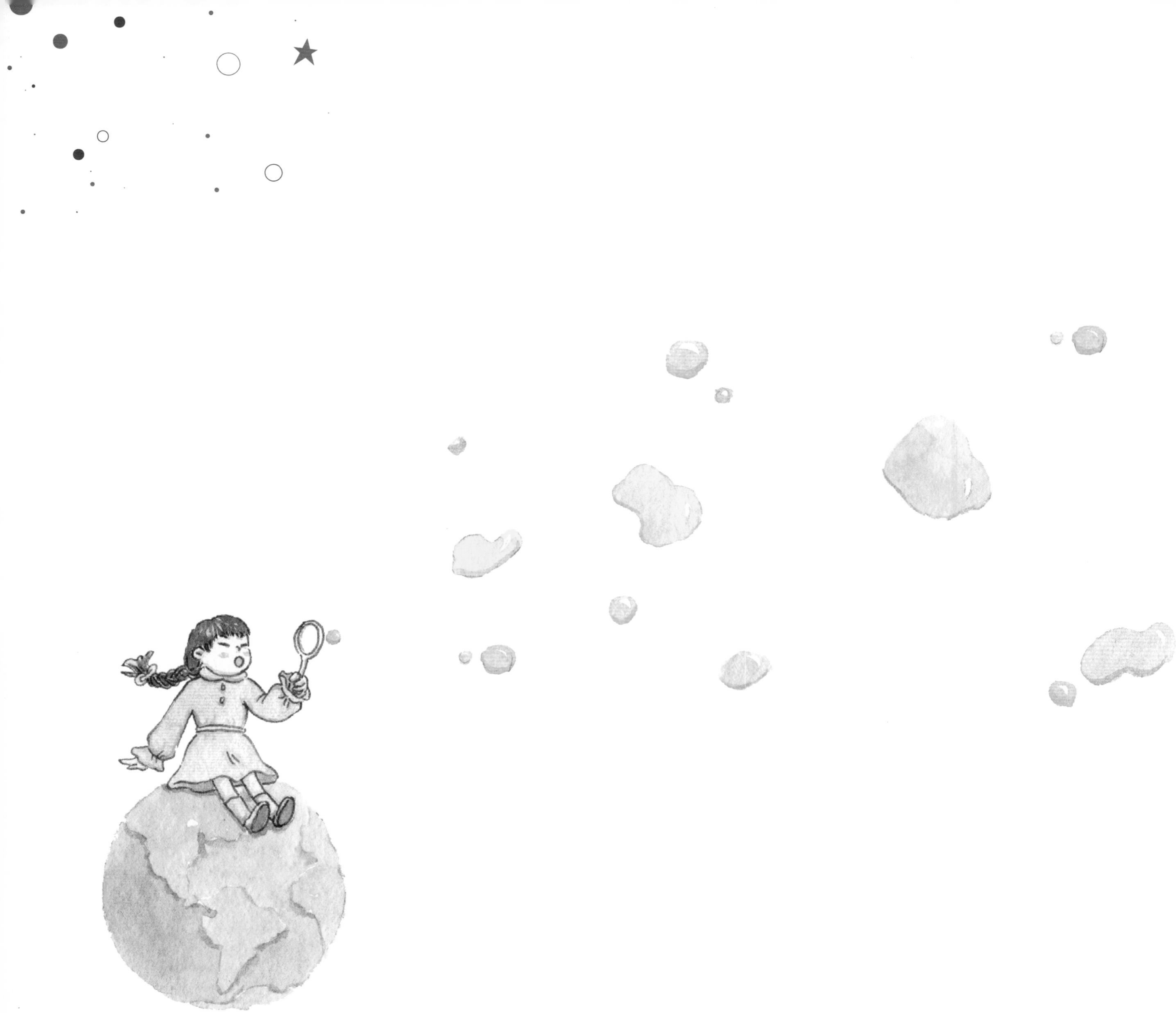

12 月 星 空 的 仙 女 座

　　仙女座，北天星座之一，面积 722 平方度，在全天 88 星座中居 19 位，仙女座只有在南纬 40 度线以北的地区能够看到。

12 月，草木凋零，夜空显得格外空旷。在茫茫的夜空中，悄然出现了一个仙女。她矜持地走在天空中。不仔细看，根本看不到她到来的痕迹。

古希腊人说，那是被拴在岩石上的女神安德罗墨达。

这就是仙女座。

仙女座里大探秘

观星小指南

仙女座是天球中最大的星座之一，星座里不仅有星星，还有不少美丽深邃的星云。下面，让我们一起走近仙女座吧！

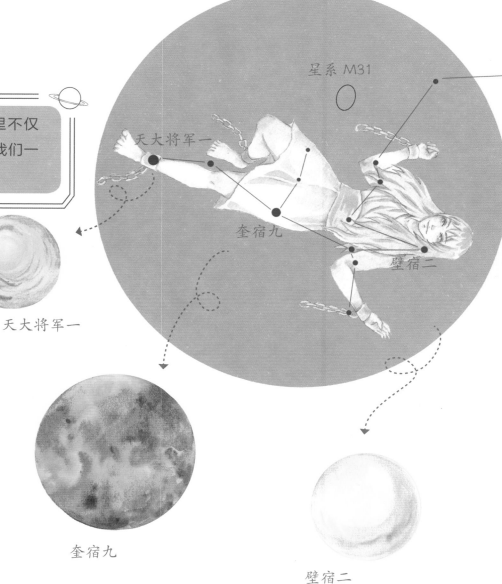

星系 M31

天大将军一

奎宿九

壁宿二

天大将军一

仙女座的"头"和"脚"

仙女座 γ 星，中国名字是天大将军一，是仙女座第三亮星。它是一个双星组合，主星是一颗黄星，伴星的颜色被描述为"天蓝色略接近绿色的细光"。

一些恒星在年老时会爆炸膨胀，成为红巨星。奎宿九就是一颗红巨星，它距离地球大约200光年。它是一颗"自我膨胀"的恒星，它的质量只有太阳的3到4倍，但是直径可以膨胀到太阳的100倍。

奎宿九

壁宿二

仙女座的头是仙女座 α 星，在中国古代称为"壁宿二"，属于二十八宿中的壁宿。壁宿二是秋季星空的主要亮星之一，呈耀眼的白色。它"身兼数职"，还构成飞马座四边形的一角。

星系 M31

迷人的星云

看完仙女的头和脚，接下来让我们去看看仙女座里最迷人的星云吧。

仙女座里有不少星云、星团，其中以仙女星系 M31 最为著名，它是一个拥有巨大盘状结构的旋涡星系，距离地球有 254 万光年，是距银河系最近的大星系。仙女星系在东北方向的天空中看起来像是隐隐的椭圆状烟雾，是肉眼可见的最遥远的天体之一。

仙女星系正以每秒 300 千米的速度朝向银河系运动。不过我们也不用杞人忧天，即使发生碰撞，也是三十多亿年后的事情。

蓝雪球星云是位于仙女座的一个行星状星云，它的中心是一颗蓝矮星，是所知的行星状星云中，中心恒星温度最高的一颗。因为它在望远镜中看起来是一个暗弱的圆形蓝绿色光斑，业余天文爱好者们称它为"蓝色雪球星云"。

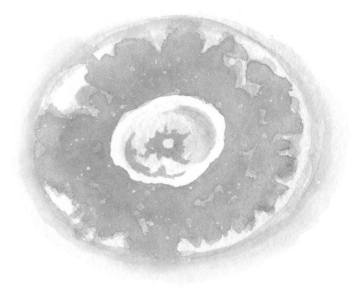

蓝雪球星云

古代的仙女座

仙女座的星星在中国星宿里，被划分到奎宿、娄宿、壁宿等星宿中。其中奎宿有十六颗星星，左右两边聚合在一起，好像一只绣花鞋。

奎宿旁边是娄宿，它的北边有一群小星星。数一数，总共十一颗，好像士兵一样整整齐齐排列着。带头的一颗星星，就是仙女座里的 γ 星。在中国古代，它有一个非常特别的名字，叫作"天大将军一"，它是这些星星中最亮的一颗，就像将军一样统领着自己的士兵们。

在古希腊人眼中，这时主导夜空的是一群活跃在希腊神话中的王族星座——代表国王的仙王座，代表王后的仙后座，代表勇士的英仙座，代表公主的仙女座……他们认为冬季的夜空，有着其他季节不可比拟的华丽高贵。

仙女座与节气

12月，正值仲冬时节。仲冬包括太阳运行到黄经255度和黄经270度时的大雪、冬至两个节气。

大雪，南方渐有积雪，北方已是千里冰封、万里雪飘的景象。白雪覆盖在田地上，就好像给庄稼盖上了一层厚厚的棉被。

冬至，人间一片萧瑟清冷。古代过冬至节，有拜冬、祭祖等习俗。现代过冬至通常是北方吃水饺，南方吃汤圆。

冬天的雪，是一条奇妙的毯子，不仅能让农作物保暖，还能降低来年病虫害的发生概率，古人说"瑞雪兆丰年"，意思是下过一场大雪后，来年就会丰收。

波塞冬的惩罚

在希腊神话中，埃塞俄比亚的王后向众人炫耀自己的女儿安德罗墨达的美貌，说是比海神波塞冬之妻还要美丽，这件事被海神波塞冬的妻子知道了，于是她叫波塞冬惩罚他们一下。波塞冬派鲸鱼怪去侵扰这个国家，埃塞俄比亚国王束手无策，只好请求上天的神谕。神谕说，要拯救国家，只能把女儿安德罗墨达献祭给鲸鱼怪。

于是国王只好把女儿用链条拴住锁在海边的岩石上，等待海怪享用。这时，正好砍了美杜莎头颅的珀耳修斯经过此地，听见少女的哭声，英勇地杀死了鲸鱼怪，将这个少女带到天上，成为美丽的仙女座。

星星小知识

璀璨的流星雨，就像一条条金色的亮线，从天空中坠落；又像雨丝，为夜空增加了浪漫的色彩。小朋友们想一想，这些突然出没的流星雨是怎么来的呢？

流星雨是由一种叫作彗星的天体衍生出来的，要了解流星雨，让我们先了解彗星是什么。

太阳系的彗星轨道都很长，因此很多年才回到太阳身边一次，得以被我们看见。大部分彗星都由岩石、沙砾和其他冰块（干冰和水冰组成），它本身的体积是很小的。

彗星运动到太阳附近时，会因为太阳的热量逐渐融化，散发出大量的气体、石块和沙砾。而太阳表面的太阳风会把这些物质吹散到太空中，看起来就像一条长长的尾巴。

当这些小碎块的运动轨道与地球轨道相遇时，它们便受到地球引力的作用，改变轨道，以很快的速度进入地球大气层，并与大气层摩擦后燃烧——质量小的消失了；质量大的穿透大气层，产生光和热，就是我们看到的流星。当这些碎块形成了一定规模，我们就能看到流星雨啦。

　　其实，太空中每天都有很多碎片撞击地球，当然，它们很多在大气层里就已经燃烧殆尽了。大气层像防护罩一样保护着地球，让我们安全地生存在浩瀚的宇宙里。地球上的我们，则可以免费欣赏宇宙送给我们的美丽惊喜，还有更多神奇的天文现象等着我们去探索哦。

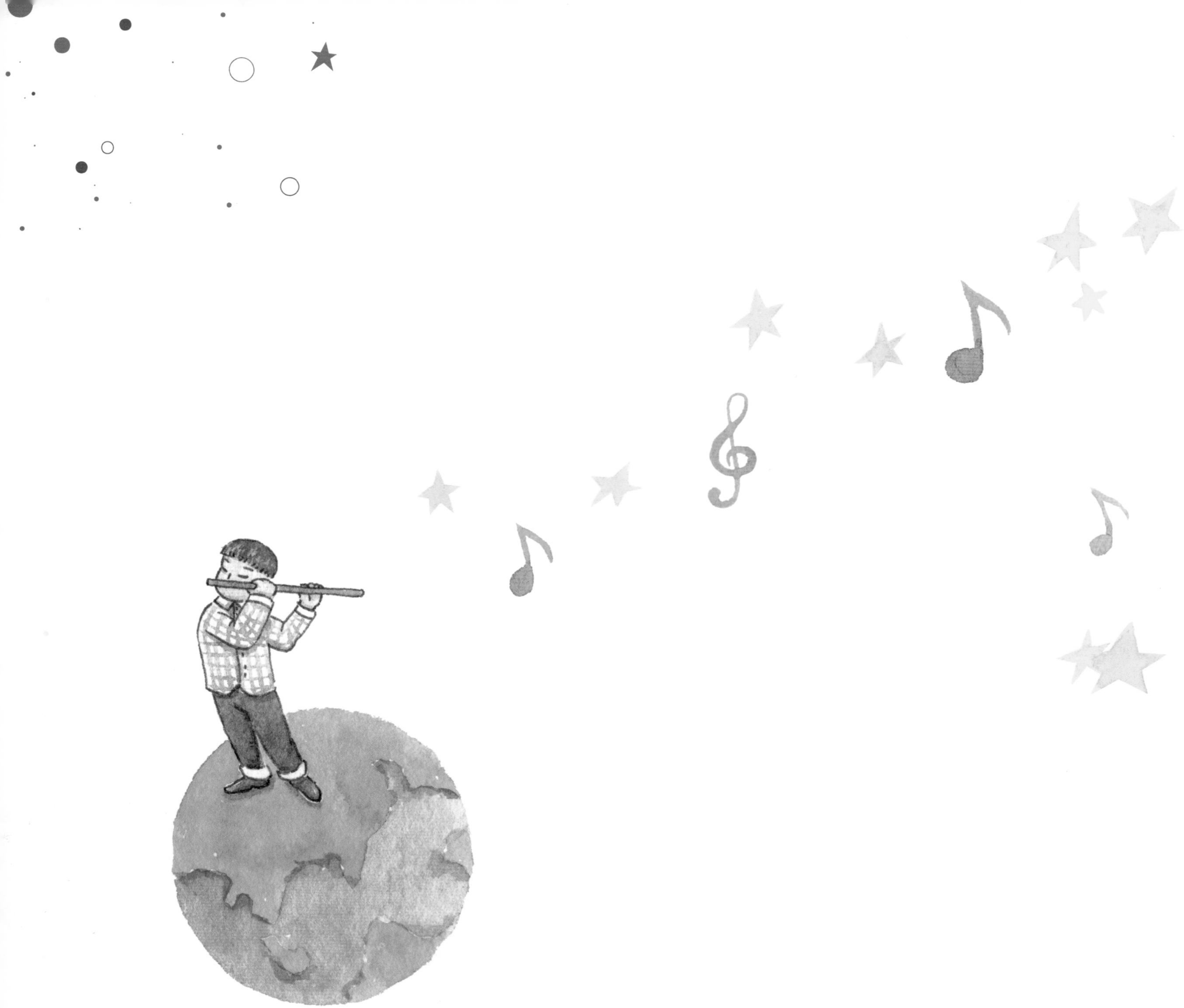

1月星空的金牛座

金牛座,黄道十二星座之一,面积797.25平方度,占全天面积的1.933%,在全天88个星座中面积排行第17。金牛座中最有名的天体,就是"两星团加一星云"。

1月，天上出现了一头大金牛。它顶着两只尖尖的角，恶狠狠地向前冲出来，好像要把天空撞破。

古希腊人说，这是金牛座啊。

这是一头活泼的金牛，在和旁边的猎户对峙着，让冬天的天空变得生动起来。头顶上面还有七个美丽的仙女，聚集在一起，好像在翩翩起舞！

金牛座里大探秘

观星小指南

金牛座中最有名的天体，就是"两星团加一星云"。当然，金牛座的脑袋里面也藏着很多有趣的小星星，让我们一起来看看吧！

闪亮的眼睛

看，金牛的眼睛正在闪闪发亮！金牛最亮的眼睛是金牛座的 α 星，也是全天第13亮星。它有一个中国名字，叫毕宿五。它看似是毕星团的一员，实际并不是。它们只是看上去在一起。毕宿五距离地球只有 68 光年，而毕星团其它恒星的中心距离我们则有 130 光年那么远。

著名的星团

下面我们来认识一下两个著名的星团。

在金牛的眼睛鼻子附近，其实有大大小小三百多颗星星，这些星星里面有几颗亮星构成了中国古代二十八宿中的毕宿，所以我们也叫它毕星团，它是离太阳最近的疏散星团。这个星团是球形的，正以每秒 44 千米的速度远离太阳。

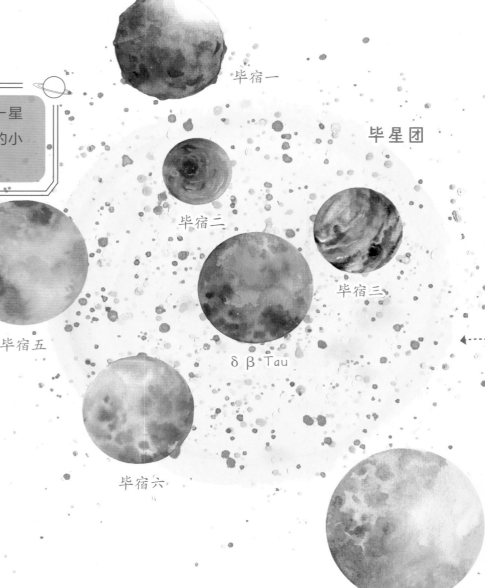

毕宿一

毕星团

毕宿二

毕宿三

毕宿五

δ β Tau

毕宿六

毕宿四

我们由毕星团向西北方向寻去，用肉眼看就可以找到六到七颗亮星，这是金牛座的另一个著名星团，由于构成星团的几个亮星位于中国古代二十八宿里的昴宿，由此我们叫它昴星团，也称七姐妹星团。

其实，昴星团是一个密密麻麻的星团，拥有三百多颗遥远的恒星，只是它们都太暗了，我们用肉眼无法观察到。

M45 昴星团

酷似螃蟹的星云

蟹状星云因为外表像螃蟹而得名，它是超新星爆炸后形成的星云，是星星走到生命尽头后留下的遗迹。

蟹状星云

金牛座流星雨往往发生在每年万圣节的时段，所以又称"万圣节烟火"，它展现着无尽的浪漫。

古代的金牛座

金牛座，相当于古代中国星宿中的毕宿和昴宿。它们都是属于西宫白虎的星宿。昴宿和毕宿都是七八颗星星聚集在一起的。毕宿有八星，它的形状有如一把小叉子，也像是英文字母Y。《西步天歌》里说："毕宿八星如小网，左角一珠光独朗。"

西方白虎

而在希腊神话中，毕星团和昴星团分别是许阿得斯七姐妹和普勒阿得斯七姐妹。

古代《诗经》说："月离于毕，俾滂沱矣。"这是我国古人长期观察天象而积累的经验，意思是当月亮靠近毕宿的时候，很可能就会下雨了。因此古人将毕宿视为雨神，设坛祭祀，祈求风调雨顺。

昴宿还在《西游记》里出现过，说是师徒四人对一只蝎子精束手无策时，孙悟空找来昴日星官帮忙。昴日星官是一只大公鸡，是蝎子的克星。

金牛座与节气

1月，正值季冬时节。季冬包括太阳运行到黄经285度和黄经300度时的小寒、大寒两个节气。

小寒，开始进入一年中最冷的日子，梅花傲立枝头。这是最冷的时节，也是温暖的开始，喜鹊已经准备筑巢繁衍后代，大雁也开始北归。

大寒，是二十四节气的最后一个节气。这时候，湖面上结的冰是最厚的。农家开始孵小鸡了，鹰隼之类的鸟，开始在空中盘旋寻找食物。

中国的古人用天上的昴宿来定四时，"日短星昴，以正仲冬。"意思是如果日落时看到昴宿出现在天际中央，就知道冬天到了。

31

宙斯与欧罗巴

希腊神话中，天帝宙斯非常喜欢腓尼基的公主欧罗巴，但苦于没有机会接近她。有一天，欧罗巴一边散步，一边观赏着不远处的牛群。宙斯心生一计，变成了一头雪白的牛，混进牛群里面。欧罗巴远远地看见雪白的牛，觉得很新奇，便朝着这头白牛走过去。白牛很亲切地亲了一下她的手，欧罗巴尝试着爬上牛背骑着玩。

白牛驮着她越跑越快，一下子跳进大海，朝着远方越游越远。公主非常害怕，紧紧抱着牛脖子，牛带着她游上一个陆地，他们在陆地上度过了愉快的时光。宙斯为了纪念这段时光，将他与公主游玩的大陆叫作欧罗巴，也就是今天的欧洲。而他化身的白牛就变成了天空中的金牛座。

小知识：欧洲和亚洲都是古代腓尼基人取的名字，他们把西边的地方取名为欧罗巴，意思是"日落的地方"，东边取名为亚细亚，意思是"日出的地方"。

星星小知识

星星为什么会眨眼睛？

金牛座里有很多亮闪闪的星星，我们很容易在冬天的夜晚找到它们，仔细瞧一瞧，它们还眨着眼睛呢！

为什么在地球上看，它们会一闪一闪的呢？

这是因为我们的地球有一层大气层。

遥远的星光被我们看到之前，需要先穿过大气层。而大气层的分布是不均匀的，且气流在不稳定地运动，这会导致穿越其中的光发生多次折射。当光的路线发生了偏移，我们看到的星星仿佛就消失了；当光线又直射地球，星星又会重新出现。因此星星总是忽明忽暗，一闪一闪的。

我们可以想象一下，大气层就像水池里的水，阳光穿过水面抵达池底时，当水流涌动，池底的光线也会随着水流产生晃动。

太阳也是恒星，是天空最亮的星星，为什么它不会一闪一闪的呢？

　　这是因为太阳距离我们很近，光线很强，一般的折射是不会影响太阳光线的传递的，所以看起来没有闪烁的现象。而其他的恒星距离我们很遥远，光源很弱，容易受到大气层气流的影响。

仰望天空的历史

1608 年，荷兰的眼镜师汉斯·李波尔赛看到两个小孩用前后两块透镜看远处教堂，李波尔赛拿起两片透镜一看，发现远处的景物变大了，于是他尝试将两块透镜放到一个筒子里，经过多次试验，发明了望远镜。

意大利的天文学家伽利略得知消息后也开始自制望远镜，发明了能放大 30 倍的望远镜，第一次观测到了月球表面的山脉，发现了木星的 4 颗卫星以及太阳的转动。

荷兰的惠更斯在 1665 年制作了一台镜筒长 6 米的望远镜来观测土星，后来又制作了一台将近 40 米长的望远镜。

1668 年，英国人牛顿发明了第一台反射式的望远镜，让人类通过望远镜能够看到更多的宇宙天体。威廉·赫歇尔改良了反射式望远镜，绘制了首张详细的银河天体图，让我们知道了银河系是地球所在的星系。

天文望远镜的发展，也推动了天文台的进步，人们在天文台里装备了更大口径的反射望远镜，能让宇宙更清晰地展现在我们眼前。

天文台建在比较高的地方，空气稀薄，天空中烟雾和尘埃对观测的影响比较小。世界上最佳的几个天文台都在高山之巅。

从地面到太空

苏联在 1957 年发射了世界上第一颗人造卫星"斯普特尼克1号",标志着人类太空时代的到来。

射电望远镜

随着电磁波技术的发展,接收宇宙电磁波信号的射电望远镜得到了广泛应用,射电望远镜能够使我们看到肉眼不可见的宇宙的红外、远红外和微波图像。

斯普特尼克1号

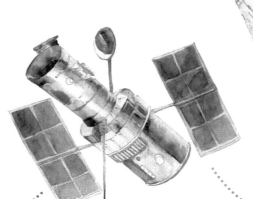

哈勃空间望远镜

天眼

中国贵州的 FSAT,也被称作"天眼",是世界上最大口径的望远镜。

哈勃空间望远镜是一台设在地球大气层之外的望远镜。没有地球大气层的干扰,它能够观测到更深更远的宇宙。

1959 年，苏联发射的"月球 2 号"完成了首次月球登陆。

除了月球，人类也在探索地球附近的火星和金星。1970 年，苏联的"金星 7 号"探测器首次在金星上着陆。1971 年，苏联的"火星 3 号"探测器登陆火星。

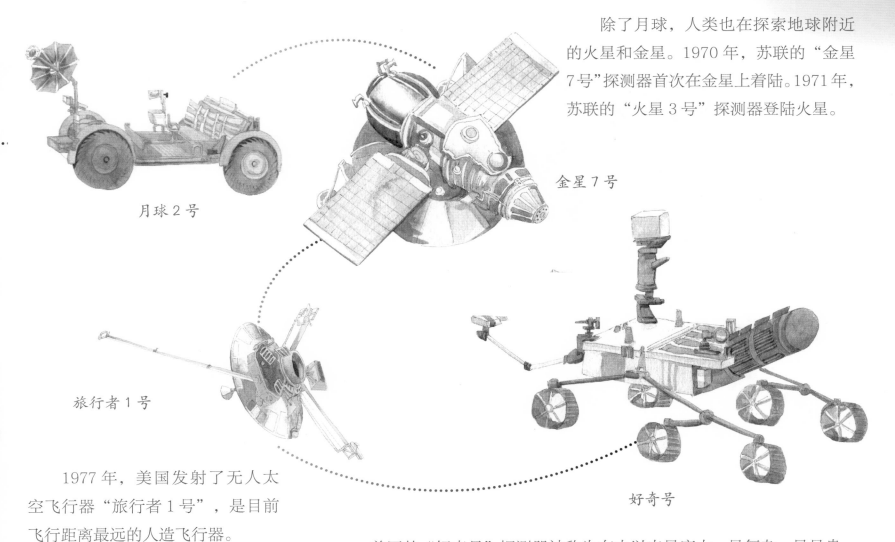

月球 2 号

金星 7 号

旅行者 1 号

好奇号

1977 年，美国发射了无人太空飞行器"旅行者 1 号"，是目前飞行距离最远的人造飞行器。

美国的"好奇号"探测器被称为有史以来最庞大、最复杂、最昂贵，也最先进的火星探测器。它是机器人六轮漫游车，可跨越障碍物，能观察、勘测土壤和岩石，并拍照发送回地球，以此来探测火星是否适合人类生存。除此之外，它还会收集其他已经退休的火星探测器和遗留物。

和宇航员一起探索

20世纪60年代，苏联的"东方号"宇宙飞船成功将宇航员尤里·加加林送上太空，他是历史上第一个进入太空的人。

1969年，美国的宇航员乘坐"阿波罗11号"飞向月球，宇航员操纵着"飞鹰号"登月舱在月球表面着陆，跨出登月舱，踏上月球表面荒凉的土地，留下人类登月史上的第一个脚印。

第一个空间站——"礼炮1号"在1971年由苏联发射成功。而在1993年，美国等14个国家建立的国际空间站，是人类拥有的规模最大的空间站。

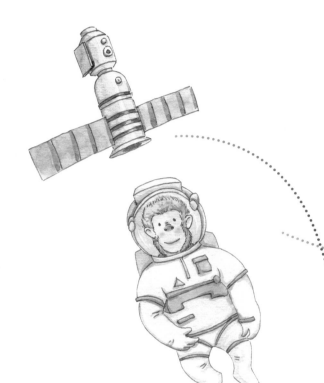

在国际空间站，要做的第一件事儿就是忘掉上下左右的概念，空间站里不受重力影响，宇航员可以随心所欲地飘浮在空中。

空间站也被称为宇宙中的实验室，空间站的工作人员既是宇航员也是科学家。他们在一个完全不一样的环境中做各种实验，获得了无数项研究成果。可是空间站不能像太空飞船一样返回地球。

当宇航员需要走出空间站，进行太空漫步时，每个人都需要一个牵引带，否则就会飘走。

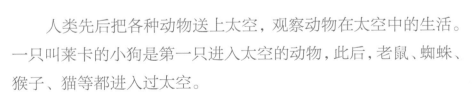

人类先后把各种动物送上太空，观察动物在太空中的生活。一只叫莱卡的小狗是第一只进入太空的动物，此后，老鼠、蜘蛛、猴子、猫等都进入过太空。

到 21 世纪，人类更加热情地对宇宙进行探索，多个国家先后发射了各种航天飞船和探测器。

我国也先后发射了神舟号系列飞船。2003 年，杨利伟乘坐"神舟五号"顺利进入太空，象征着中国太空事业向前迈进一大步，具有里程碑式意义。

做一个吹气火箭

准备材料：彩色卡纸、硬纸盒的纸板、彩色笔、记号笔、剪刀、订书机、双面胶、粗吸管和细吸管。

 将卡纸裁剪成手掌大小的纸板，对折再对折。

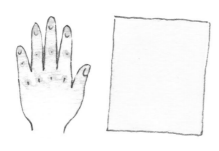 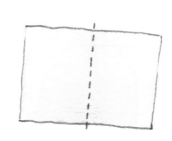 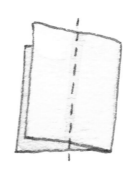 

 画出半边小火箭的轮廓，然后裁剪下来。这样我们就得到两片火箭卡片了，然后画上你想要的图案。

  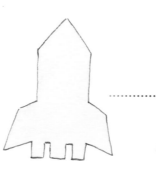 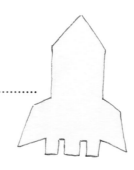 

将粗吸管剪下一段，顶端用订书机订住，然后将它用双面胶粘在火箭卡片中间的位置，最后将两片火箭卡片拼在一起。

将细吸管插入粗吸管内，一个冲天小火箭就做好了。

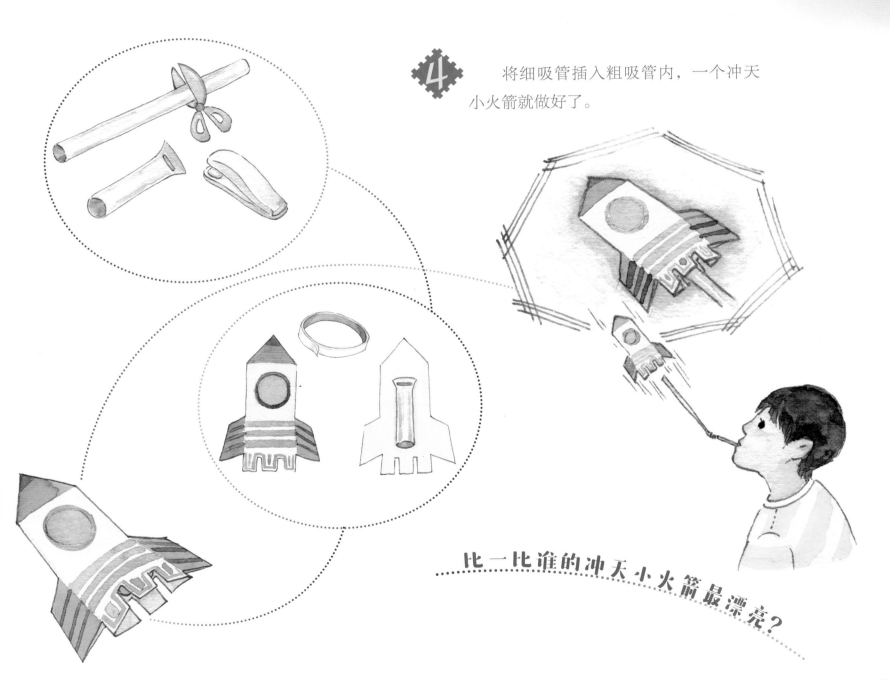

比一比谁的冲天小火箭最漂亮？